NORTE

PABLO VALENZUELA VAILLANT

INTERMINABLES LLANURAS Y SERRANIAS RESECAS, INTERRUMPIDAS POR MINUSCULOS OASIS Y QUEBRADAS, SE PROLONGAN DESDE LA COSTA DEL PACIFICO A LOS VOLCANES Y NEVADOS QUE EMERGEN AL ORIENTE. EL NORTE CHILENO ATRAE POR SUS EXTRAVAGANTES FORMACIONES DESERTICAS, SUS PLAYAS, SUS SALARES Y CUMBRES ALTIPLANICAS, SUS POBLADOS ANTIGUOS, SU ARQUEOLOGIA Y SUS ATARDECERES COLMADOS DE LUCES Y CONTRASTES.

■

VAST DESERT EXPANSES AND PARCHED, JAGGED MOUNTAINS BROKEN OFF BY TINY OASES AND LARGE RAVINES RISE FROM THE PACIFIC COAST ALL THE WAY TO THE VOLCANOES AND SNOW-CAPPED PEAKS ON THE EAST. THE CHILEAN NORTH CAPTIVATES FOR ITS EXTRAVAGANT DESERT FORMATIONS, BEACHES, SALT FIELDS, MOUNTAIN HEIGHTS, ANCIENT VILLAGES, ARCHEOLOGY, AND LIGHT- AND CONTRAST-FILLED SUNSETS.

Edición y fotografías · Photographed and published by
PABLO VALENZUELA VAILLANT

Diseño · Design by
MARGARITA PURCELL MENA

Impresión · Printed by
OGRAMA S.A.

I.S.B.N. 956-7376-11-5

Inscripción - Registration
N° 86.853

Primera Edición 2000 · First Printing, 2000

Napoleón 3565 of. 604 fono/fax: (56 2) 203 7141
Las Condes · Santiago · Chile
E-mail: pablo@pablovalenzuela.cl

www.pablovalenzuela.cl

NORTE

6

PARQUE NACIONAL LAUCA
LAUCA NATIONAL PARK

8

Valle de la Luna

Valle de la Luna

10

LAGO CHUNGARA
LAKE CHUNGARA

12

SAN PEDRO DE ATACAMA

SAN PEDRO DE ATACAMA

Geisers del Tatio
El Tatio Geysers

SALAR DE SURIRE
SURIRE SALT LAKE

Lagunas Miscanti y Miñiques

Miscanti and Miñiques Lagoons

20

BOFEDAL CONGELADO, PARINACOTA
FROZEN GRASSLANDS, PARINACOTA

22

BARRANQUILLAS, ATACAMA

BARRANQUILLAS, ATACAMA

Salar de Pujsa
Pujsa Salt Lake

ISLUGA, PARQUE NACIONAL VOLCAN ISLUGA

ISLUGA, VOLCAN ISLUGA NATIONAL PARK

28

BAHIA INGLESA
BAHIA INGLESA

LAS CUEVAS, ARICA
LAS CUEVAS, ARICA

30

CACTUS, TOCONCE

CACTUS, TOCONCE

34

Costa de Tocopilla

Coastline Near Tocopilla

CAMINO A LAGUNA DEL NEGRO FRANCISCO

ROAD TO NEGRO FRANCISCO LAGOON

38

CAMINO A TOCONAO

ROAD TO TOCONAO

RESERVA NACIONAL LOS FLAMENCOS

LOS FLAMENCOS NATIONAL RESERVE

42

Salar de Atacama
Atacama Salt Lake

LAGUNAS DE COTACOTANI

COTACOTANI LAGOONS

46

PARQUE NACIONAL PAN DE AZUCAR

PAN DE AZUCAR NATIONAL PARK

VALLE DE LA LUNA

VALLE DE LA LUNA

50

LAGO CHUNGARA

LAKE CHUNGARA

Farellones de Tara
Tara Bluffs

VALLE DE LA LUNA

VALLE DE LA LUNA

Atardecer cerca de San Pedro

Nightfall Near San Pedro

SALAR DE CARCOTE

CARCOTE SALT LAKE

LAGUNA MISCANTI

MISCANTI LAGOON

Salar de Talar
Talar Salt Lake